TA KSIĄŻKA NALEŻY DO

W9-DAA-464

Podziękowania dla Philippa, mojej rodziny, Marthy, Julesa i wszystkich z Nobrow.

Originally appering in print in 2010 as *Hildafolk*
© 2010 Nobrow Ltd. and Luke Pearson.
Hilda and the Troll is © 2013 Flying Eye Books

All artwork and characters within are © Nobrow Ltd. and Luke Pearson

All rights reserved. No part of this publication may be reproduced or
transmitted in any form or by any means, electronic or mechanical,
including photocopying, recording or by any information and storage
retrieval system, without prior written consent from the publisher.

Polish second edition by Centrala - mądre komiksy
© 2016 Fundacja Tranzyt / Centrala - mądre komiksy
© polish translation Hubert Brychczyński
Redakcja: Paweł Adamiak
Korekta: Ewa Lipińska
DTP: gabinet.co.uk

ISBN: 978-83-63892-45-6
centrala@centrala.org.pl

R06056 49805

ZIEEW

I CO, DOBRZE SPAŁAŚ?

WIATR TRZĄSŁ NAMIOTEM PRZEZ CAŁĄ NOC...

ZMARZŁAM, PRZEMOKŁAM... W SUMIE DOŚĆ KOSZMARNE PRZEŻYCIE, ALE...

TAKI JUŻ LOS ŁOWCY PRZYGÓD.

MNIAM   MNIAM

MATKO, DZIŚ WYBIORĘ SIĘ NA WZGÓRZE, BY TROCHĘ PORYSOWAĆ...

DOBRZE, KOCHANIE. WRÓĆ NA KOLACJĘ. I NARYSUJ MI COŚ ŁADNEGO!

BĘDĘ MALOWAĆ SKAŁY!

ŚWIETNIE.

MAMO!

HEJ!

A TY CO! CZEMU CIĄGLE PRZYŁAZISZ TU NIEPROSZONY!

ZOSTAW GO, HILDA. PEWNIE CHCE SIĘ TYLKO OGRZAĆ. POZA TYM PRZYNOSI NAM DREWNO.

NIEZBYT Z NIEGO GRZECZNY GOŚĆ. A POZA TYM DZIWAK.

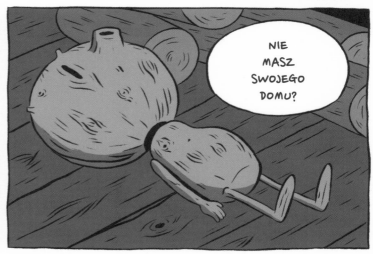

NIE MASZ SWOJEGO DOMU?

WODNY
DUCH!

BIEDACZYSKO! PEWNIE
SPŁYNĄŁ W DÓŁ FIORDU
I SIĘ ZGUBIŁ.

CIEKAWE, DOKĄD
TRAFI... CIEKAWE, CZY
TO WAŻNE...

ZARAZ! TEN KAMIEŃ...
WYGLĄDA TROCHĘ
JAK... JAK...

TROLLOWA
SKAŁA!

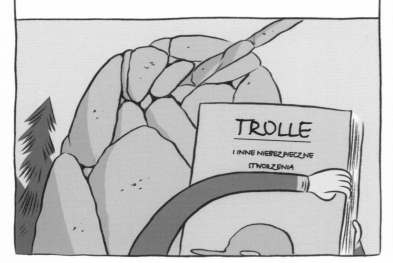

W DZIEŃ WYGLĄDA ZUPEŁNIE JAK ZWYCZAJNA SKAŁA. LECZ NOCĄ...

...PRZYJMUJE POSTAĆ GROŹNEGO I POTĘŻNEGO TROLLA!

MUSZĘ GO NARYSOWAĆ. JESZCZE NIE WIDZIAŁAM, ŻEBY TAK NISKO SCHODZIŁY.

NA SZCZĘŚCIE BYŁAM PRZYGOTOWANA NA TĘ EWENTUALNOŚĆ. WEŹ TEN DZWONEK, ROZKU-

-I ZAWIĄŻ MU NA NOSIE. BĘDZIE SŁYCHAĆ, JAK SIĘ RUSZY. OCZYWIŚCIE NIC TAKIEGO SIĘ NIE STANIE...

ALE TO TAK NA WSZELKI WYPADEK, GDYBY NA PRZYKŁAD ZASZŁY CHMURY...

ŚWIETNIE! A TERAZ RYSUJEMY.

ZIEEW

CHRR... CHRR

WIEDZIAŁAM!

NA PEWNO MOŻEMY WEJŚĆ... PRZECIEŻ JESTEŚMY W TARAPATACH.

HALO? JEST TU KTO?

TUP TUP

NO TO DALEJ.

ALBO I NIE... NA CO ON CZEKA? WYMACHUJE TYLKO TYM PIEKIELNYM DZWONKIEM.

DZYŃ,

DZYŃ

TO CHYBA TWOJA SPRAWKA. TU JEST NAPISANE, ŻE TROLLE BARDZO ŻLE ZNOSZĄ DŹWIĘK DZWONKA. TA SZTUCZKA JEST JUŻ ZRESZTĄ UZNANA ZA DOŚĆ OKRUTNĄ.

TROLE

NIE DOCZYTAŁAŚ DO KOŃCA?

TERAZ ROZUMIEM, CZEMU TU PRZYSZEDŁ... BIEDAK NIE MOŻE DOSIĘGNĄĆ DZWONKA. TRZEBA MU POMÓC!

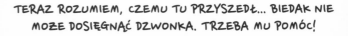

O! MÓJ SZKICOWNIK.

(CAŁKIEM ZAPOMNIAŁAM)

PRZYSZEDŁEŚ AŻ TUTAJ, ŻEBY MI GO ODDAĆ?

WHUMF

WIEDZIAŁAM, ŻE TROLLE SĄ DOBRE! OD POCZĄTKU WIEDZIAŁAM! CHODŹ DO NAS, NARYSUJĘ CI JESZCZE JEDEN OBRAZEK W RAMACH PODZIĘKOWANIA! ZOSTANIEMY PRZYJACIÓŁMI! ZAWSZE CHCIAŁAM POZNAĆ SIĘ Z--

ACH.

NO TO DO WIDZENIA...

O NIE, RYSUNKI ZNISZCZONE. WSZYSTKO NA NIC...

Zamiana w kamień

Choć często upodabniają się do skał, których pełno w ich środowisku, nie są jednak całkiem niezauważalne. Da się je rozpoznać na przykład po zarysach twarzy bądź charakterystycznie długim nosie; jednak co bardziej złośliwe trolle będą się starały ukrywać te cechy.

Po lewej, skamieniały troll z ukrytym nosem (autor i data zdjęcia nieznane). Wyżej, artystyczna reprezentacja nieskamieniałego osobnika.

Proces zamiany w kamień nie jest dla skalnych trolli ani przyjemny, ani wygodny, choć znacznie się różnią pod względem doświadczanego dyskomfortu. Większe trolle zachowują zimną krew, podczas gdy dla mniejszych konsekwencje mogą być nieodwracalne. Ogólnie przyjmuje się, że wszystkie trolle, które są wrażliwe na działanie słońca, unikają go, jak mogą. Dotyczy to nawet gatunków, które nie zamieniają się pod jego wpływem w skałę. Dlatego trolle najczęściej zamieszkują nieprzystępne tereny górskie, gęste lasy, a najczęściej – jaskinie. Jednak nawet w nocy nie zapuszczają się zbyt daleko od swoich legowisk, w obawie, że zaskoczy ich nadchodzący świt.

DOTYCHCZAS W CENTRALCE:

Luke Pearson *Hilda i Nocny Olbrzym*
Luke Pearson *Hilda i ptasia parada*
Tomasz Samojlik *Bartnik Ignat i skarb puszczy*
Marzena Sowa, Berenika Kołomycka *Tej nocy dzika paprotka*
Martin Ernstsen *Pustelnik*
Lucie Lomová *Dzicy*
Jeroen Funke *Wiktor i Wisznu*

WKRÓTCE

Mikołaj Pasiński, Gosia Herba *Słoń na księżycu*
Kamila Przybylska *Końskie zaloty*
Olga Wróbel *Do kroćset!*

WWW.LIGATURA.EU

WWW.CENTRALA.ORG.UK/PL